CPSIA information can be obtained
at www.ICGtesting.com
Printed in the USA
LVHW070810070522
718171LV00034B/895

9 781735 548401

madrassa
— online —

Arabic reading book
FOR KIDS AND BEGINNERS

مفتاح العلم، تعليم القراءة

Soulayman de Kerdoret

سليمان دو كيردوريه

An imprint of Madrassa online LLC
Madrassa-online.com

ISBN 9781735548401 (paperback)
First edition : 2020

Join us on our BONUS page

https://madrassa-online.com/en/bonus/

بسم الله الرحمن الرحيم
المقدمة

إن الحمد لله، نحمده ونستعينه، ونتوب إليه، ونعوذ بالله من شرور أنفسنا ومن سيئات أعمالنا، من يهده الله فلا مضل له، ومن يضلل فلا هادي له، وأشهد أن لا إله إلا الله، وحده لا شريك له، وأشهد أن محمدا عبده ورسوله، صلى الله عليه وعلى آله وأصحابه، ومن تبعهم بإحسان إلى يوم الدين وسلم تسليما.

أم بعد:

فهذا الكتاب (مفتاح العلم تعليم القراءة) للمبتدئين في تعليم اللغة العربية حتى تنتشر اللغة في العالم ويسير المسلمون في طريق طلب العلم. وسميته باللغة الإنجليزية

Arabic reading book for kids and beginners

أسأل الله العظيم، رب العرش العظيم، أن يجعل عملنا جميعا خالصا لوجهه، موافقا لمرضاته، نافعا لعباده، إنه جواد كريم.

سليمان دو كيردوريه
مدير «مدرسة اون لاين»
مركز اللغة العربية عن بعد لغير الناطقين بها

Instructions

To learn how to pronounce Arabic letters correctly, you need a tutor.

Learning alone from a book or videos leads to mistakes that the students are rarely aware of.

Someone must be a teacher and knowledgeable about how to pronounce the letters to correct you.

The teaching method of this book is based on listening and repetition. The teacher must follow the instructions perfectly.

Why is there no instruction in English?

The teaching method of this book is based on listening and repetition. So, you have to follow your teacher's instructions.

Join us on our BONUS page

https://madrassa-online.com/en/bonus/

الحُرُوفُ العَرَبِيَّةُ مُوَزَّعَةٌ عَلَى مَخَارِجِهَا

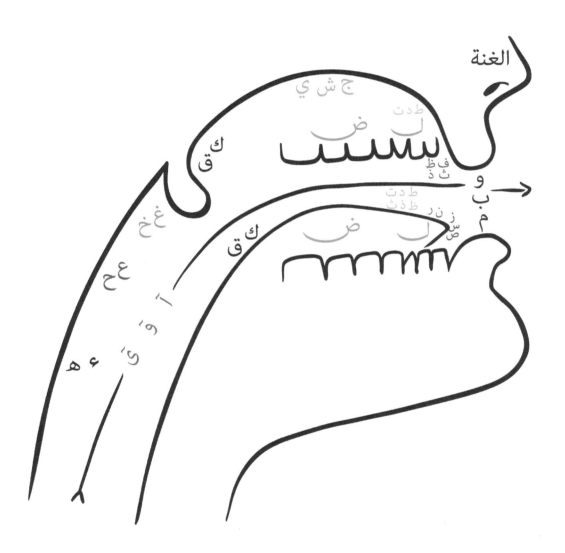

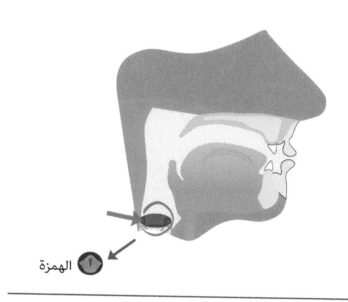

ء ه

ع ح

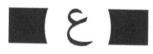

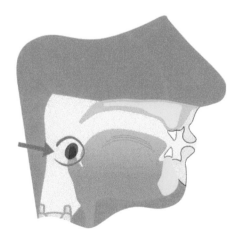

غ

خ

تَفْخِيمٌ

ق

ك

تَفْخِيمٌ

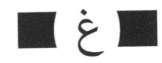

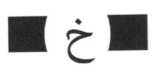

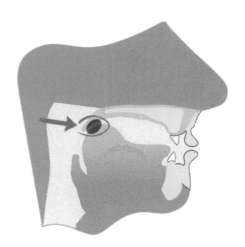

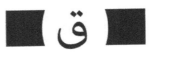

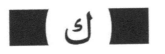

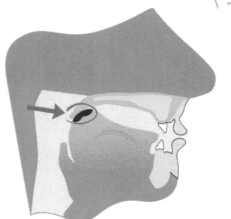

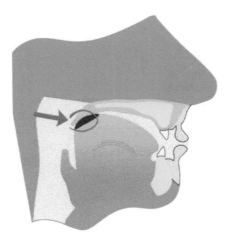

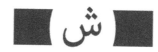 ش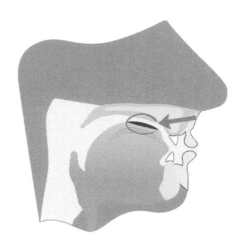

ج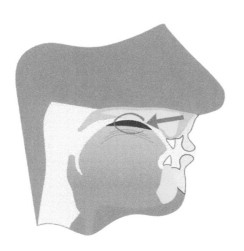

ي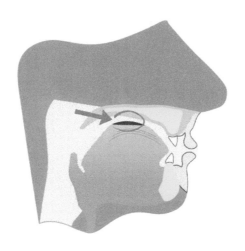

تَفْخِيمٌ

ض

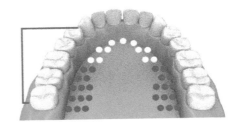

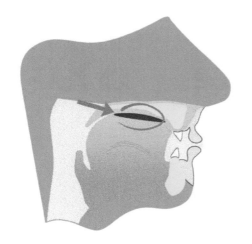

● منطقة الضّغط و الاتكاء
○ منطقة التّلامس

تَفْخِيمٌ فِي كَلِمَةِ (الله)

ل

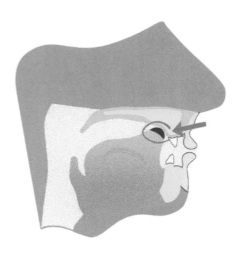

١١

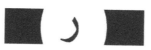

ر

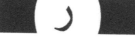

تَفْخِيمٌ

المُفَخَّمَةُ

المُرَقَّقَةُ

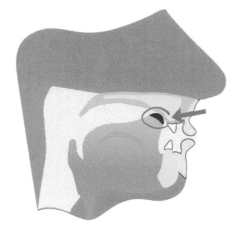

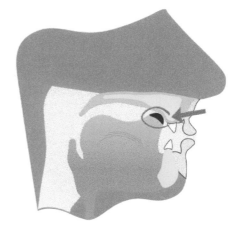

ن

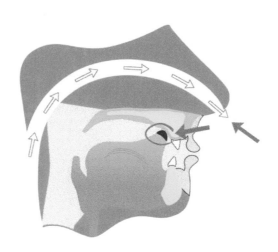

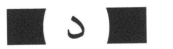

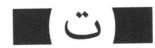

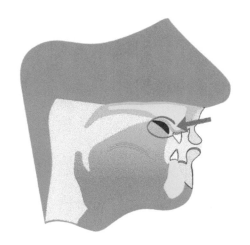

ت د

ط

تَفْخِيمٌ

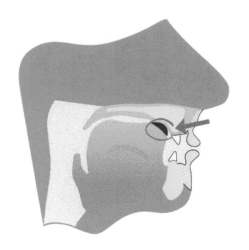

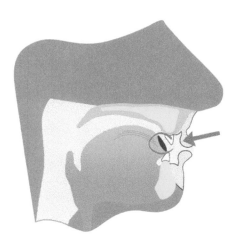

ز   س

ص

تَفْخِيمٌ

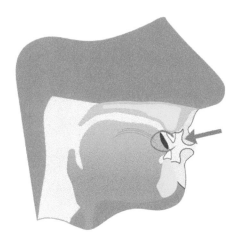

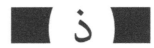

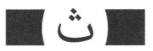

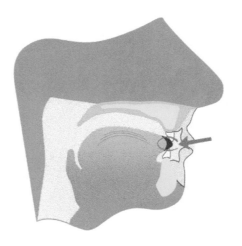

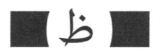

ذ ث

ظ

تَفْخِيمٌ

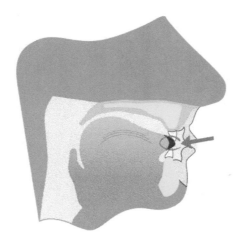

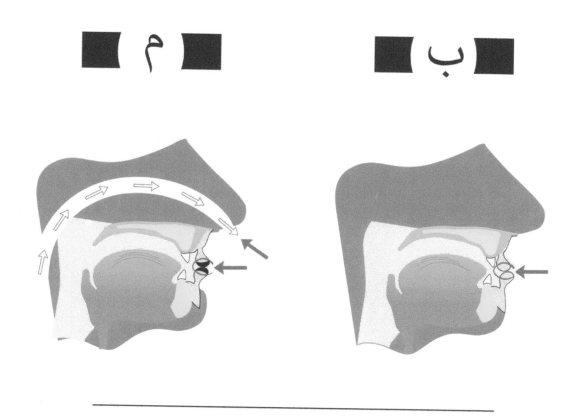

ب   م

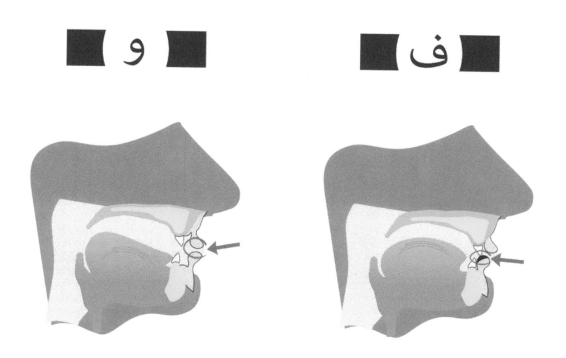

ف   و

الدَّرْسُ الأَوَّلُ

الحُرُوفُ الهِجَائِيَةُ المُفْرَدَةُ

ألف ا	با ب	تا ت	ثا ث	جيم ج
حا ح	خا خ	دال د	ذال ذ	را ر
زا ز	سين س	شين ش	صاد ص	ضاد ض
طا ط	ظا ظ	عين ع	غين غ	فا ف
قاف ق	كاف ك	لام ل	ميم م	نون ن
ها ه	واو و	يا ى	همزة ء	

الدَّرْسُ الثَّانِي: الحُرُوفُ الهِجَائِيَةُ المُرَكَّبَة

مثال: ببب : بَا بَا بَا - تتت : تا تا تا - شكب : شين كاف با

ااا	ببب	تتت	ثثث	ججج
ححح	خخخ	ددد	ذذذ	ررر
ززز	سسس	ششش	صصص	ضضض
ططط	ظظظ	ععع	غغغ	ففف
ققق	ككك	للل	ممم	ننن
ههه	ووو	ييى	با	بث
تج	حث	خر	سا	شكب
سلد	مبت	نتم	شخص	ضبط
يها	ه	طه	كم	عز

حق	لك	غير	نف	عر
بس	ثمش	جص	خض	لذ
ية	يه	هو	تش	يس
ظن	قل	لو	يد	يذ
تى	نى	قا	فا	ضغ
ة	كذ	حش	خس	بى
مر	ما	فلم	ية	ت
ؤ	أ	هى	تبت	كنز
نلا	ضن	لح	لما	ئ
تفا	حتغ	غف	كى	ير

١٩

الدَّرْسُ الثَّالِثُ: الحَرَكَات

مثال: با فتحة بَ - با كسرة بِ - بَ بِ - با ضمة بُ - بَ بِ بُ

أَ	أِ	أُ	بَ	بِ	بُ	تَ	ةِ
تُ	ثَ	ثِ	ثُ	جَ	جِ	جُ	حَ
حِ	حُ	خَ	خِ	خُ	دَ	دِ	دُ
ذَ	ذِ	ذُ	رَ	رِ	رُ	زَ	زِ
زُ	سَ	سِ	سُ	شَ	شِ	شُ	صَ
صِ	صُ	ضَ	ضِ	ضُ	طَ	طِ	طُ
ظَ	ظِ	ظُ	عَ	عِ	عُ	غَ	غِ
غُ	فَ	فِ	فُ	قَ	قِ	قُ	كَ
كِ	كُ	لَ	لِ	لُ	مَ	مِ	مُ

نَ	نِ	نُ	هَ	هِ	هُ	وَ	وِ
وُ	ىَ	ىِ	ىُ				

الدَّرْسُ الرَّابِعُ: التَّنْوِين

مثال: با فتحتين بَنْ - با كسرتين بِنْ - بَنْ بِنْ - با ضمتين بُنْ - بَنْ بِنْ بُنْ

ءً	ءٍ	ءٌ	بًا	بٍ	بٌ	ةً	تٍ
ةٌ	ثًا	ثٍ	ثٌ	جًا	جٍ	جٌ	حًا
حٍ	حٌ	خًا	خٍ	خٌ	دًا	دٍ	دٌ
ذًا	ذٍ	ذٌ	رًا	رٍ	رٌ	زًا	زٍ
زٌ	سًا	سٍ	سٌ	شًا	شٍ	شٌ	صًا
صٍ	صٌ	ضًا	ضٍ	ضٌ	طًا	طٍ	طٌ
ظًا	ظٍ	ظٌ	عًا	عٍ	عٌ	غًا	غٍ

غُ	فَا	فِ	فُ	قَا	قِ	قُ	كَا
كِ	كُ	لَا	لِ	لُ	مَا	مِ	مُ
نَا	نِ	نُ	هَا	هِ	هُ	وَا	وِ
وُ	يَا	يِ	ىُ				

الدَّرْسُ الخَامِسُ: تَدْرِيبَاتٌ عَلَى الحَرَكَاتِ وَالتَّنْوِين

مثال: همزة فتحة أَ - حا فتحة حَ - أَحَ - دال ضمتين دٌ - أَحَدٌ

أَحَدٌ	أُمَمٍ	أَزِفَةٍ	أَجَلٍ	بَشَرٍ	بَلَدًا
بَلَغَ	أَنَا	تَجِدَ	حُطَمَةٍ	حَكَمَ	حَرَجٌ
حَسَنَةً	خَلَقَ	خُلِقَ	دُعِيَ	ذُكِرَ	رَهَقًا
رَجُلًا	رُسُلٌ	خَشِيَ	خَطِفَ	سَلَفًا	شَطَطًا
صَلَحَ	ضَرَبَ	شَجَرَةٌ	طَبَقٍ	عَلِمَ	عَبَسَ

عَلَقٍ	عَمَدٍ	غَفَرَ	سَقَرَ	فَعَلَ	فُتِحَ
قَسَمُ	قِدَدًا	قُضِىَ	قَمَرُ	كَبُرَ	كَرِهَ
لَهَبٍ	مَثَلًا	مَعَكَ	نَظَرَ	نَزَلَ	نَصَرَ
هَرَبًا	قُرِئَ	وَلَدَ	وَعَدَ	نَسِىَ	عَلَقَةٍ

الدَّرْسُ السَّادِس: الحُرُوفُ السَّاكِنَة

مثال: همزة فتحة با سكون أَبْ - همزة كسرة با سكون إِبْ - أَبْ إِبْ -
همزة ضمة با سكون أُبْ - أَبْ إِبْ أُبْ

أَبْ	إِبْ	أُبْ	أَتْ	إِتْ	أُتْ	أَلْ	إِلْ
أُلْ	أَجْ	إِجْ	أُجْ	أَحْ	إِحْ	أُحْ	أَدْ
إِدْ	أُدْ	أَذْ	إِذْ	أُذْ	أَرْ	إِرْ	أُرْ
أَمْ	إِمْ	أُمْ	أَزْ	إِزْ	أُزْ	أَسْ	إِسْ

أُسْ	أَقْ	إِقْ	أُقْ	أَصْ	إِصْ	أُصْ	أَضْ
إِضْ	أُضْ	أَهْ	إِهْ	أُهْ	أَطْ	إِطْ	أُطْ
أَظْ	إِظْ	أُظْ					

الدَّرْسُ السَّابِعُ: تَدْرِيبَاتٌ عَلَى السُّكُون

مثال: نون فتحة فا سكون نَفْ - سين ضمتين سُنْ - سين ضمتين سُنْ

نَفْسُ	شَيْئًا	عَيْنًا	أَجْرُ	بَطْشًا	لَوْحٍ
كَيْفَ	يُسْرًا	غَيْرُ	عَبْدًا	خَيْرُ	ضَبْحًا
قَدْحًا	زَيْدُ	خَوْفُ	جَمْعًا	جُمْلَةُ	بَعْدَ
صُبْحًا	نَقْعًا	إِهْدِ	طِفْلُ	قَبْلَ	تَحْتَ
يَشْرَبُ	مُعْتَدٍ	تَعْرِفُ	أَذِنَتْ	سُطِحَتْ	
تَسْمَعُ	رُفِعَتْ	نُصِفَتْ	أَنْقَضَ	ذِكْرُ	

عَسْعَسَ نِصْفَهُ حُشِرَتْ سُئِلَتْ فَوْقَ
الْفَوْزُ يُبْدِئُ ظَهْرَكَ يَنْقَلِبُ أَحْسَنِ
ثَقُلَتْ مُؤْمِنٌ أَمْسِكْ مَصْلَحَةٍ أُقْسِمُ
أَوِانْقُصْ وَاهْجُرْهُمْ عَلَى الْغَيْبِ
ذُو الْعَرْشِ عَهْدَ بِالْمَرْحَمَةِ يَخْشَوْنَهُ
لَيْلَةُ الْقَدْرِ أَلَمْ نَشْرَحْ فَرَغْتَ فَانْصَبْ
هَلْ تَعْرِفُ رَأَيْتُ الْمَرْكَزَ أَطْلُبُ الْعِلْمَ

الدَّرْسُ الثَّامِن: حُرُوفُ المَدِّ

مثال: با فتحة ألف سكون با - با كسرة يا سكون بِي - با بي -
با ضمة واو سكون بو - با بي بو

ءَا	إِى	أُوا	بَا	بِى	بُوا	تَا	تِى

حَا	جُوا	جِي	جَا	ثُوا	ثِي	ثَا	تُوا
دُوا	دِي	دَا	خُوا	خِي	خَا	حُوا	حِي
زِي	زَا	رُوا	رِي	رَا	ذُوا	ذِي	ذَا
صَا	شُوا	شِي	شَا	سُوا	سِي	سَا	زُوا
طُوا	طِي	طَا	ضُوا	ضِي	ضَا	صُوا	صِي
غِي	غَا	عُوا	عِي	عَا	ظُوا	ظِي	ظَا
كَا	قُوا	قِي	قَا	فُوا	فِي	فَا	غُوا
مُوا	مِي	مَا	لُوا	لِي	لَا	كُوا	كِي
وِي	وَا	هُوا	هِي	هَا	نُوا	نِي	نَا
				يُوا	يِي	يَا	وُوا

الدَّرْسُ التَّاسِع: تَدْرِيبَاتٌ عَلَى المَدّ

مثال: همزة فتحة أَ - عين ضمة واو سكون عو - أعو - ذال ضمة ذُ - أعوذُ

أَعُوذُ أَكِيدُ بَصِيرًا تَعْبُدُونَ الْجَحِيمُ
الْجِبَالُ حَدِيثٌ حِينٌ رَسُولٌ زِلْزَالَهَا
شَهِيدٌ قَالَ قَرَارٍ قَلِيلًا كِرَامٍ كُلُوا زَكَاةٌ
عَائِلًا عَسِيرٌ غَاسِقٍ شَاهِدٍ أَوْتَادًا
صُدُورٍ ضَرِيعٍ طَعَامٌ كَانَ لِسَانًا عَادَةٌ
مَشْهُودٍ مَسْرُورًا وَاجِفَةٌ وُجُوهٌ صَدِيقٌ
يَدْخُلُونَ يَذُوقُونَ أُسْتَاذٌ مَسْئُولٍ يَتِيمًا
يَخَافُ فِي جِيدِهَا أَحَادِيثُ الْأَحْكَامِ
جَعَلْنَا عَقِيدَةٌ مِنْهَاجُ دِينٌ طَارِقٌ طَرِيقٌ

الدَّرْسُ العَاشِر: الحُرُوفُ المُشَدَّدَة

مثال: همزة فتحة با شدة أَبّ - با فتحة بَ - أَبَّ - همزة فتحة با شدة أَبّ - با كسرة بِ - أَبِّ - همزة فتحة با شدة أَبّ - با ضمة بُ - أَبُّ

أَبَّ	أَبِّ	أَبُّ	أَبًّا	أَبِّ	أَبُّ	أَتَّ	أَتِّ
أَتُّ	أَتًّا	أَتِّ	أَتُّ	أَثَّ	أَثِّ	أَثُّ	أَثًّا
أَثِّ	أَثُّ	أَجَّ	أَجِّ	أَجُّ	أَجًّا	أَجِّ	أَجُّ
أَحَّ	أَحِّ	أَحُّ	أَحًّا	أَحِّ	أَحُّ	أَخَّ	أَخِّ
أَخُّ	أَخًّا	أَخِّ	أَخُّ	أَدَّ	أَدِّ	أَدُّ	أَدًّا
أَدِّ	أَدُّ	أَذَّ	أَذِّ	أَذُّ	أَذًّا	أَذِّ	أَذُّ

الدَّرْسُ الحَادِي عَشَر: تَدْرِيبَاتٌ عَلَى الشَّدَّة

مثال: همزة فتحة خا شدة أَخّ - خا فتحة خَ - أَخَّ - را فتحة رَ - أَخَّرَ

أَخَّرَ أَلَّفَ عَظَّمَ عَجَّلَ يَمُرُّ يَدُعُّ وُدِّي

اِسْتَمَرَّ تَلَقَّى قِصَّةُ الَّذِى زَيَّنُوا حَتَّى

يُيَسِّرُ طَيِّبٌ اِهْتَمَّ مُؤَلَّفٌ عَامَّةٌ تَدَيَّرَ

تَضَرَّمَ تَبَسَّمَ تَوَكَّلَ إِيَّاكَ الْمُدَّثِّرُ الْمُزَّمِّلُ

اللِّصُّ ضَرٌّ كَلَّا يَشُمّ يَظُنُّ حَجٌّ بِبَطٍّ

حَقًّا حُبًّا خَطٌّ بِخَطٍّ ثُمَّ أَوَّلًا فَإِنَّهُ كُلُّ

كَبَّرَ وَحَّدَ هَلَّلَ جَنَّبَ إِيَّاكُمْ وَالظَّنَّ

السُّنَّةُ تُفَسِّرُ الْقُرْآنَ وتُبَيِّنُهُ وَتَدُلُّ عَلَيْهِ

التَّحِيَّاتُ لِلَّهِ وَالصَّلَوَاتُ وَالطَّيِّبَاتُ

اللَّهُمَّ صَلِّ وَسَلِّمْ عَلَى نَبِيِّنَا مُحَمَّدٍ

الدَّرْسُ الثَّانِي عَشَرَ: الَّامُ الْقَمَرِيَّةُ وَالَّامُ الشَّمْسِيَّةُ

اللَّامُ القَمَرِيَّة: أ ب ج ح خ ع غ ف ق ك هـ م و ي	أَرْضُ الْأَرْضُ

بَابٌ الْبَابُ جِبَالٌ الْجِبَالُ حَبْلٌ الْحَبْلُ خَشَبٌ

الْخَشَبُ عُمْرَةٌ الْعُمْرَةُ غَرَضٌ الْغَرَضُ فِيلٌ

الْفِيلُ قَلَمٌ الْقَلَمُ كِتَابٌ الْكِتَابُ هُدْهُدٌ

الْهُدْهُدُ مَوْزٌ الْمَوْزُ وِتْرٌ الْوِتْرُ يَدٌ الْيَدُ

اللَّامُ الشَّمْسِيَّة: ت ث د ذ ر ز س ش ص ض ط ظ ل ن	تَمْرٌ

التَّمْرُ ثَلْجٌ الثَّلْجُ دَفْتَرٌ الدَّفْتَرُ ذُبَابٌ الذُّبَابُ

رَحْمَةٌ الرَّحْمَةُ زَهْرَةٌ الزَّهْرَةُ سَاعَةٌ السَّاعَةُ

شِمَاغٌ الشِّمَاغُ صَوْتٌ الصَّوْتُ ضَابِطٌ الضَّابِطُ

طَائِرَةٌ الطَّائِرَةُ ظَهْرٌ الظَّهْرُ لِسَانٌ اللِّسَانُ نَارٌ النَّارُ

الدَّرْسُ الثَّالِثَ عَشَر: تَدْرِيبَاتٌ عَلَى القِرَاءَة

قَـالَ النَّبِـيُّ ﷺ: "مَـنْ سَـلَكَ طَرِيقـاً يَلْتَمِـسُ فِيـهِ عِلْمـاً؛ سَـهَّلَ اللَّـهُ لَـهُ بِـهِ طَرِيقـاً إِلَـى الْجَنَّـةِ". رَوَاهُ مُسْـلِمٌ

قَـالَ النَّبِـيُّ ﷺ: «مَـنْ يُـرِدِ اللَّـهُ بِـهِ خَيْـراً؛ يُفَقِّهْـهُ فِـي الدِّيـنِ». مُتَّفَـقٌ عَلَيْـهِ

قَـالَ النَّبِـيُّ ﷺ: "إِذَا مَـاتَ الإِنْسَـانُ انْقَطَـعَ عَمَلُـهُ إِلَّا مِـنْ ثَلَاثَـةٍ: إِلَّا مِـنْ صَدَقَـةٍ جَارِيَـةٍ، أَوْ عِلْـمٍ يُنْتَفَـعُ بِـهِ، أَوْ وَلَـدٍ صَالِـحٍ يَدْعُـو لَـهُ". رَوَاهُ مُسْـلِمٌ

قَالَ النَّبِيُّ ﷺ: «خَيْرُكُمْ مَنْ تَعلَّمَ الْقُرْآنَ وَعَلَّمَهُ». رَوَاهُ الْبُخَارِيُّ

قَـالَ النَّبِـيُّ ﷺ: "اقْـرَؤُوا الْقُـرْآنَ؛ فَإِنَّـهُ يَأْتِـي يَـوْمَ الْقِيَامَـةِ شَـفِيعاً لِأَصْحَابِـهِ". رَوَاهُ مُسْـلِمٌ

قَالَ النَّبِيُّ ﷺ: « إِنَّ اللَّهَ قَالَ: مَنْ عَادَى لِي وَلِيّاً؛ فَقَدْ آذَنْتُهُ بِالحَرْبِ». رَوَاهُ الْبُخَارِيُّ

قَالَ النَّبِيُّ ﷺ: «مَثَلُ الَّذِي يَذْكُرُ رَبَّهُ وَالَّذِي لَا يَذْكُرُ رَبَّه، مَثَلُ الْحَيِّ وَالْمَيِّتِ». مُتَّفَقٌ عَلَيْهِ

قَالَ النَّبِيُّ ﷺ: «سَبَقَ الْمُفَرِّدُونَ، قَالُوا: وَمَا الْمُفَرِّدُونَ يَا رَسُولَ اللَّهِ؟ قَالَ: الذَّاكِرُونَ اللَّهَ كَثِيراً، وَالذَّاكِرَاتُ». رَوَاهُ مُسْلِمٌ

قَالَ النَّبِيُّ ﷺ: «وَمَا اجْتَمَعَ قَوْمٌ فِي بَيْتٍ مِنْ بُيُوتِ اللَّهِ، يَتْلُونَ كِتَابَ اللَّهِ، وَيَتَدَارَسُونَهُ بَيْنَهُمْ؛ إِلَّا نَزَلَتْ عَلَيْهِمُ السَّكِينَةُ، وَغَشِيَتْهُمُ الرَّحْمَةُ، وَحَفَّتْهُمُ الْمَلَائِكَةُ، وَذَكَرَهُمُ اللَّهُ فِيمَنْ عِنْدَهُ». رَوَاهُ مُسْلِمٌ

قَالَ النَّبِيُّ ﷺ: «قَالَ اللَّهُ تَبَارَكَ وَتَعَالَى: أَنَا أَغْنَى الشُّرَكَاءِ عَنِ الشِّرْكِ، مَنْ عَمِلَ عَمَلاً أَشْرَكَ فِيهِ مَعِي غَيْرِي، تَرَكْتُهُ وَشِرْكَهُ». رَوَاهُ مُسْلِمٌ

عَنْ أُمِّ الْمُؤْمِنِينَ أُمِّ عَبْدِ اللَّهِ، عَائِشَةَ رَضِيَ اللَّهُ عَنْهَا قَالَتْ: قَالَ رَسُولُ اللَّهِ ﷺ: « مَنْ أَحْدَثَ فِي أَمْرِنَا هَذَا مَا لَيْسَ مِنْهُ؛ فَهُوَ رَدٌّ». رَوَاهُ الْبُخَارِيّ وَمُسْلِمٌ ،

وَفِي رِوَايَةٍ لِمُسْلِمٍ: «مَنْ عَمِلَ عَمَلًا لَيْسَ عَلَيْهِ أَمْرُنَا، فَهُوَ رَدٌّ»

قَالَ النَّبِيُّ ﷺ: «كُلُّ مُصَوِّرٍ فِي النَّارِ، يَجْعَلُ(١) لَهُ بِكُلِّ صُورَةٍ صَوَّرَهَا نَفْساً فَتُعَذِّبُهُ فِي جَهَنَّمَ». رَوَاهُ مُسْلِمٌ

(١) أي: اللَّهُ

قَالَ النَّبِيُّ ﷺ: «أحَبُ الْكَلَامِ إِلَى اللَّهِ أَرْبَعٌ: سُبْحَانَ اللَّهِ، وَالْحَمْدُ لِلَّهِ، وَلَا إِلَهَ إِلَّا اللَّهُ، وَاللَّهُ أَكْبَرُ، لَا يَضُرُّكَ بِأَيِّهِنَّ بَدَأْتَ». رَوَاهُ مُسْلِمٌ

قَالَ النَّبِيُّ ﷺ: «مَنْ رَأَى مِنْكُمْ مُنْكَراً فَلْيُغَيِّرْهُ بِيَدِهِ، فَإِنْ لَمْ يَسْتَطِيعْ فَبِلِسَانِهِ، فَإِنْ لَمْ يَسْتَطِيعْ فَبِقَلْبِهِ، وَذَلِكَ أَضْعَفُ الإِيمَانِ» رَوَاهُ مُسْلِمٌ

عَنْ أَمِيرِ الْمُؤْمِنِينَ أَبِي حَفْصٍ عُمَرَ بْنِ الخَطَّابِ رَضِيَ اللَّهُ عَنْهُ قَالَ: سَمِعْتُ رَسُولَ اللَّهِ ﷺ يَقُولُ: «إِنَّمَا الأَعْمَالُ بِالنِّيَّاتِ، وَإِنَّمَا لِكُلِّ امْرِئٍ مَا نَوَى، فَمَنْ كَانَتْ هِجْرَتُهُ إِلَى اللَّهِ وَرَسُولِهِ فَهِجْرَتُهُ إِلَى اللَّهِ وَرَسُولِهِ، وَمَنْ كَانَتْ هِجْرَتُهُ لِدُنْيَا يُصِيبُهَا أَوِ امْرَأَةٍ يَنْكِحُهَا فَهِجْرَتُهُ إِلَى مَا هَاجَرَ إِلَيْهِ».

رَوَاهُ إِمَامَا المُحَدِثِينَ:

أَبُو عَبْدِ اللَّهِ، مُحَمَّدُ بْنُ إِسْمَاعِيلَ بْنِ إِبْرَاهِيمَ بْنِ المُغِيرَةِ بْنِ بَرْدِزْبَهْ البُخَارِيُّ، وَأَبُو الحَسَيْنِ مُسْلِمُ بْنُ الحَجَّاجِ بْنِ مُسْلِمٍ القُشَيْرِيُّ النَّيْسَابُورِيُّ: فِي صَحِيحَيْهِمَا اللَّذَيْنِ هُمَا أَصَحُّ الكُتُبِ المُصَنَّفَةِ.

فهرس